RICK KIRKMAN / JERRY SC

BÉBÉ BLUES

6

Nous traversons une zone de turbulence parentale... attachez vos ceintures

ÉDITIONS HORS COLLECTION

Du même auteur :

Devine qui n'a pas fait de sieste ? Tome 1
Papa, maman, et moi, et moi et MOI ! Tome 2
Il y a des jours comme ça... Tome 3
Bon anniversaire, la puce ! Tome 4
Tu crois qu'elle le fait exprès ? Tome 5

Dans la même collection :

BILL WATERSON :
Adieu, monde cruel ! Tome 1
En avant, tête de thon ! Tome 2
On est fait comme des rats ! Tome 3
Debout, tas de nouilles ! Tome 4
Fini de rire ! Tome 5
Allez, on se tire ! Tome 6
Que fait la police ? Tome 7
Elle est pas belle, la vie ? Tome 8
On n'arrête pas le progrès ! Tome 9
Tous aux abris ! Tome 10
Chou bi dou wouah ! Tome 11
Quelque chose bave sous le lit ! Tome 12
Enfin seuls ! Tome 13
Va jouer dans le mixer ! Tome 14
Complètement surbookés ! Tome 15
Faites place à Hyperman ! Tome 16
La flemme du dimanche soir ! Tome 17

SHULZ :
Joe Cool déteste le dimanche après-midi ! Tome 1
Tu es l'invité d'honneur, Charlie Brown ! Tome 2
Parfois c'est dur d'être un chien ! Tome 3
Et voici le célèbre as de la Première Guerre mondiale ! Tome 4

Retrouvez-nous sur Internet
http://www.Ed-Hors-Collection.tm.fr
catalogue, informations, jeux, messagerie
Email : horscoll@club-internet.fr

Titre original : WE ARE EXPERIENCING PARENTAL DIFFICULTIES... PLEASE STAND BY

Traduit de l'américain par Jacques Collin et Patrick Mercadal
Lettrage : Martine Segard
Isbn : 2-258-04515-0
Numéro d'éditeur : 210

BÉBÉ BLUES®
RICK KIRKMAN / JERRY SCOTT

PRÊT ?
OUI.

SHAM-POOING.
APRÈS-SHAMPOOING.
SA-VON.
OUF!
VOILÀ...
AÏE! AÏE! AÏE!

HOU! QUELLE SÉANCE!
J'AI DÛ ME CLAQUER!
KIRKMAN & SCOTT

MERCI DE NOUS RECEVOIR.

JE SAIS QUE C'EST IMPRÉVU, MAIS J'AI PENSÉ QUE C'ÉTAIT IMPORTANT.
KIRKMAN & SCOTT

VOUS SAVEZ À QUEL POINT JUSTINE EST SENSIBLE AUX VIRUS.

ALORS, QUEL EST LE PROBLÈME ?
ELLE EST TROP TRANQUILLE.

PARFOIS, JE TROUVE EFFRAYANT DE PENSER À LA TERRIBLE RESPONSABILITÉ D'ÉLEVER UN ENFANT.

RÉALISES-TU QUE LA VIE ENTIÈRE DE JUSTINE POURRAIT ÊTRE INFLUENCÉE PAR D'INNOCENTES REMARQUES?

BIEN SÛR. C'EST POURQUOI JE CHOISIS MES MOTS QUAND JE SUIS AVEC ELLE.

UNIVERSITÉ... BOURSE... PETITS COPAINS PAS BIEN...
KIRKMAN & SCOTT

UN BÉBÉ DE UN AN EMPLIT VOTRE CŒUR DE JOIE...

... ET VOTRE MAISON DE TOUT LE RESTE.
KIRKMAN & SCOTT

TROIS ANS DE MATERNELLE... CINQ ANS D'ÉCOLE ÉLÉMENTAIRE...

QUATRE ANS DE COLLÈGE... TROIS ANS DE LYCÉE... QUATRE ANS D'UNIVERSITÉ...
... POUR EN ARRIVER LÀ!
TOUJOURS PAS COMPRIS? ALLEZ JUSTINE, MONTRE ENCORE À PAPA COMMENT FAIRE LE PUZZLE, MAIS DOUCEMENT CETTE FOIS.
KIRKMAN & SCOTT

HIIAOW!

HIIAOW!

DANS LE BON VIEUX TEMPS, LES AMIS NE POUVAIENT PAS T'AMENER LES VIDÉOS DE LEUR BÉBÉ AVANT QU'IL SOIT NÉ !
MAINTENANT, COMPARONS L'ÉCHOGRAPHIE À TREIZE SEMAINES AVEC CELLE À VINGT-SIX SEMAINES.
OOH ! VINGT-SIX SEMAINES... C'EST UNE BONNE !
KIRKMAN & SCOTT

JUSTINE, TU DONNES ÇA À MAMAN ?
KIRKMAN & SCOTT
Voilà

DONNE À MAMAN ! DONNE À MAMAN ! C'EST BIEN...

GRANDE FILLE !

ENCORE DES CHIPS ?
PEUT-ÊTRE DEVRAIS-TU ME PASSER LE PAQUET, CETTE FOIS...
CHIPS
Voilà

TOUT VA BIEN ICI, PAPA.

JUSTINE COMMENCE À MARCHER ?

OUI ! UN PEU MIEUX CHAQUE JOUR.

ET POUR S'ARRÊTER ?
Y A DU BOULOT.
BAM !
KIRKMAN & SCOTT

BÉBÉ BLUES®
RICK KIRKMAN / JERRY SCOTT

PETITE FILLE À MAMAN
PAPA
MAMAN
PAPA

MAMA!
MAMA! MAMA!
MAMA! MAMA!
MAMA!
MAMA! MAMA! MAMA! MAMA!
KIRKMAN & SCOTT
BLAM!
PAPA!
MAMA!

BIEN... LA CUISINE EST PROPRE, LA LESSIVE EST FAITE ET LE BÉBÉ HABILLÉ...
JE PENSE QU'IL NE RESTE QU'UNE CHOSE À FAIRE...
CRACK! SPLAFF! OUIIIN!
... RECOMMENCER
KIRKMAN & SCOTT

BON, BEN JE CROIS QU'ELLE NE DIRA PAS "MAMIE" AUJOURD'HUI, FINALEMENT... M'MAN ? M'MAN ? M'MAN ?
ZZZZ
KIRKMAN & SCOTT

OUIN-OUIN OUIII
OH NON !

IIINNNNN !
QU'EST-CE QUI LUI PREND DE SE RÉVEILLER AU MILIEU DE LA NUIT CES JOURS-CI ? JE CROYAIS QUE C'ÉTAIT FINI !

NON. C'EST FINI POUR LA "PHASE COLIQUE" ET LA "PHASE ALLER AU LIT". C'EST SANS DOUTE LA "PHASE ANGOISSE DE LA SÉPARATION", AVEC LA "PHASE CAUCHEMAR" À SUIVRE.
GÉNIAL.

OUUIINNN !
AVEC TOUT ÇA, C'EST MOI QUI SUIS DÉPHASÉ.
KIRKMAN & SCOTT

ÔOH ! CETTE BLANCHE ME REND **FOLLE** !

CHAQUE FOIS QUE JE PARLE DES PROGRÈS DE JUSTINE, IL FAUT QU'ELLE DISE QUE BRUNO L'A FAIT PLUS TÔT, OU MIEUX, OU PLUS VITE !

ÉCOUTE, CE QUI EST IMPORTANT, C'EST DE REMETTRE TOUT ÇA EN PERSPECTIVE, NON?
SNIF ! C'EST LA CHOSE LA PLUS SAGE ET LA PLUS ADULTE QUE TU M'AIES JAMAIS DITE DANIEL...
KIRKMAN & SCOTT

... À PRÉSENT, TAIS-TOI ET AIDE-MOI À LUI APPRENDRE LE SAUT PÉRILLEUX AVANT QUE CE M'AS-TU-VU DE VOISIN NE LE FASSE EN PREMIER !

BLANCHE, NOUS DEVONS PARLER.

EN TANT QU'AMIE ET VOISINE, JE DOIS TE DIRE QUE TU HEURTES MA SENSIBILITÉ.

IL N'EST PAS JUSTE QUE TU COMPARES SANS CESSE LES PROGRÈS DE BRUNO ET DE JUSTINE, ET J'AIMERAIS QUE TU ARRÊTES.

C'EST TRÈS BIEN... MAINTENANT, ESSAIE SANS SERRER LA GORGE.
C'EST HUMAIN !
KIRKMAN & SCOTT

JUSTINE MARCHE VRAIMENT BIEN.
PAS AUSSI BIEN QUE BRUNO.

JUSTINE APPREND TRÈS VITE.
PAS AUSSI VITE QUE BRUNO.

JUSTINE A BEAUCOUP DE VOCABULAIRE.
PAS AUTANT QUE BRUNO.

MA FEMME EST FOLLE.
PAS AUSSI FOLLE QUE LA MIENNE.
AH OUI ?
OUI !
KIRKMAN & SCOTT

BÉBÉ BLUES®
RICK KIRKMAN / JERRY SCOTT

ATTENTION AU BÉBÉ

TU VEUX TABALLE? OK. LA VOILÀ.
WOAW ! JUSTINE CONNAÎT DÉJÀ DES MOTS !
BA

OH OUI... ELLE N'EN DIT PAS ENCORE BEAUCOUP, MAIS ELLE EN COMPREND PAS MAL... REGARDE.

JUSTINE, MONTRE À PAPA LE NEZ DE MARC. OÙ IL EST, LE NEZ ?

BIEN !
NÉ
PINCE !
KIRKMAN & SCOTT

ET L'OREILLE DE MARC ?
LELA

OUI ! C'EST L'OREILLE DE MARC. OÙ EST SON MENTON ?
TON!
DONG!

LES YEUX. OÙ SONT LES YEUX DE MARC ?
ÇA SUFFIT ! ÇA SUFFIT ! JE TE CROIS ! RETIENS-LA !

DANIEL, TU NE DEVRAIS PEUT-ÊTRE PLUS FAIRE ÉTALAGE DU VOCABULAIRE DE JUSTINE, CET APRÈS-MIDI.
POURQUOI, TU PENSES QU'ELLE EST FATIGUÉE ?

DING! DONG! DING! DING! DONG! DONG!
QUE SE... ?
MM-MFF ?

KIRKMAN & SCOTT

QUI EST-CE ?
SOIT LE PIRE MIME QUE J'AIE JAMAIS VU, SOIT MARC ESSAYANT DE NOUS DIRE QUE YOLANDE ACCOUCHE.

JE VAIS AIDER YOLANDE !
JE PRENDS JUSTINE, ET NOUS ARRIVONS !

VLAM !

JE CROIS QUE... JE CROIS QUE...
NOVICE !
KIRKMAN & SCOTT

ALLEZ VOUS DEUX, BONNE CHANCE !
T'INQUIÈTE PAS. TOUT IRA BIEN !
POUF !

TOUT VA BIEN.
C'EST DU GÂTEAU !
BONNE ROUTE !
DU CRAN ! SCRIICH !

SCRIICH !

LES PAUVRES.
ILS NE SAVENT PAS CE QUI LES ATTEND.
KIRKMAN & SCOTT

EH BIEN, MARC ET YOLANDE VONT ENFIN AVOIR LEUR BÉBÉ.
C'EST PLUTÔT EXCITANT
KIRKMAN & SCOTT

TU COMPRENDS CE QUE ÇA VEUT DIRE, N'EST-CE PAS ?
TU PARLES

BIENTÔT, IL Y AURA UNE AUTRE PELOUSE AUSSI NÉGLIGÉE QUE LA NÔTRE DANS LE VOISINAGE.
ÇA FAIT LONGTEMPS QUE J'ATTENDS ÇA.

ALLÔ ? QUOI ? VRAIMENT ?

WANDA ! YOLANDE A EU UNE FILLE !
SUPER !
KIRKMAN & SCOTT

OH-OH... TROIS KILOS SIX... TROIS MÈTRES, HOU ?
QUOI ?? TROIS MÈTRES ? AUCUN BÉBÉ NE FAIT TROIS MÈTRES !

NON, IL FAIT CINQUANTE CENTIMÈTRES. TROIS MÈTRES, C'EST LE VOL PLANÉ DE L'INTERNE APRÈS UN COUP DE PIED DE YOLANDE.
QUELLE FEMME !

3 MOYENS DE FAIRE TRAVAILLER SON CŒUR
1 COURIR
2 NAGER
3 ÊTRE PARENTS
KIRKMAN & SCOTT

BÉBÉ BLUES®
RICK KIRKMAN / JERRY SCOTT

'SOIR, CHÉRIE. COMMENT ÉTAIT TA JOURNÉE ?
BIEN.

DU COURRIER ?
DEUX FACTURES ET DES ARTICLES QUE MA MÈRE A GARDÉS POUR NOUS.

DES ARTICLES?
OUI. DES CHOSES QUI NOUS SERONT UTILES, D'APRÈS ELLE.

WANDA, JE SAIS QUE TA MÈRE ESSAIE DE NOUS DIRE QUELQUE CHOSE, MAIS, BON PAS LA PEINE D'EN FAIRE UN PLAT.

CE NE SONT PAS QUELQUES ARTICLES DE CONSEILS ÉDUCATIFS QUI VONT NOUS TAPER SUR LES NERFS.
CE SONT LES MIENS.
KIRKMAN & SCOTT

LES TIENS SONT LÀ-BAS.
HÉ !

OH, ELLE EST SI BELLE !

COMMENT S'APPELLE-T-ELLE ?
ON NE SAIT PAS.

HEIN?
NOUS N'AVONS PAS PU NOUS DÉCIDER, ALORS NOUS ATTENDONS QU'ELLE GRANDISSE POUR LUI DONNER UN PRÉNOM QUI LUI AILLE BIEN.

QUELLE IDÉE GÉNIALE !
POUR L'INSTANT, JE PENSE À "LA FLAQUE"
KIRKMAN & SCOTT

EH BIEN, YOLANDE, QUEL EFFET ÇA FAIT D'ÊTRE UNE JEUNE MAMAN ?
PASSIONNANT... MAIS UN PEU BIZARRE

IL FAUT QUE TU SACHES QUE, SI TU AS DES QUESTIONS, TU PEUX TOUT ME DEMANDER.

IL Y A BIEN QUELQUE CHOSE QUI ME TURLUPINE...
KIRKMAN & SCOTT

SI JE VIENS D'ACCOUCHER, POURQUOI J'AI TOUJOURS L'AIR ENCEINTE ??

C'EST FANTASTIQUE COMME LES CHOSES CHANGENT VITE, TU NE TROUVES PAS ?

IL Y A DEUX JOURS, J'ÉTAIS ENCORE UNE FEMME AU GROS VENTRE QUI S'INQUIÉTAIT D'ÊTRE UNE BONNE MÈRE...

KIRKMAN & SCOTT

ET JE SUIS DEVENUE UNE FEMME AU GROS VENTRE QUI S'INQUIÈTE D'ÊTRE UNE BONNE MÈRE ET QUI NE DORT PAS ASSEZ.
BIENVENUE AU CLUB.

AU SOMMET DE LA CHAÎNE DE L'ÉVOLUTION, TOUT EN BAS DE LA CHAÎNE DE LA DISCIPLINE

BÉBÉ BLUES®
RICK KIRKMAN / JERRY SCOTT

UNE CHAISE QUI S'ACCROCHE ?
OUI. J'AI PENSÉ QU'IL ÉTAIT TEMPS D'HABITUER JUSTINE À S'ASSEOIR À TABLE AVEC NOUS.
Chaise Bébé
Chaise Bébé

LE LIVRE DIT QUE CE TYPE DE CHAISE EST MIEUX CAR...

...① IL PERMET D'OBSERVER DE PLUS PRÈS COMMENT MANGE BÉBÉ...
BEERK ! IMMONDE !

...② IL VOUS AUTORISE DES INTERVENTIONS DE PLUS PRÈS PENDANT LES REPAS...
HÉ ! RENDS-MOI MA CUILLER !

...③ ET VOUS DONNE DE NOMBREUSES OCCASIONS DE L'ÉDUQUER.
ARGHH ! NE MANGE PAS LA SALIÈRE !

PLUTÔT EFFICACE, HEIN ?
"EFFICACE" N'EST PAS LE PREMIER MOT QUI ME VIENT À L'ESPRIT ...
KIRKMAN & SCOTT

FÉVRIER
JUIN
MAI
KIRKMAN & SCOTT

LES ENFANTS VIENNENT ICI ? COMMENT AS-TU FAIT ?
CULPA-PHONIE

MES PARENTS VEULENT VRAIMENT QUE NOUS ALLIONS LES VOIR CET ÉTÉ
NOUS N'AVONS PAS LES MOYENS DE PRENDRE L'AVION.

J'AI DEUX SEMAINES DE CONGÉ, NOUS IRONS EN **VOITURE**. CE SERA **AMUSANT** !

KIRKMAN & SCOTT

ET IL A DIT, "NOUS IRONS EN **VOITURE**... CE SERA **AMUSANT** !"
JE VOIS. NOUS ALLONS DEVOIR LE GARDER EN OBSERVATION

QUE FAIS-TU ?
J'ÉTUDIE LE TRAJET POUR ALLER CHEZ TES PARENTS.
SUNS

J'AI MARQUÉ LES GRANDES ROUTES EN JAUNE, ET CERCLÉ DE ROUGE TOUTES LES ÉTAPES INTÉRESSANTES DU CHEMIN.

WOUAW ! JE N'AURAIS JAMAIS CRU QU'IL Y AVAIT AUTANT DE SITES SUR LA ROUTE.

CE NE SONT PAS DES SITES. CE SONT DES RELAIS-BÉBÉ.
OH.
KIRKMAN & SCOTT

SALUT, MARC ? COMMENT ÇA VA ?
poste

ZZZ...
KIRKMAN & SCOTT

JE T'AI VU PARLER À MARC DEHORS. EST-CE QU'IL COMMENCE À AVOIR L'AIR D' UN JEUNE PAPA ?
OH OUI.

KIRKMAN & SCOTT

AARRGGHH !!!

TU N'AS JAMAIS EU L'IMPRESSION QU'ELLE AVAIT GRANDI D'UN SEUL COUP ?
OOOOH ! JE DÉTESTE QUAND ÇA ARRIVE.

OUAIS ! SUPER !
KIRKMAN & SCOTT

IL NOUS RESTE UN PEU D'ARGENT CE MOIS-CI, POUR LE FONDS D'ÉTUDES DE JUSTINE.
GÉNIAL !

CLING ! CLING !

UN FONDS D'ÉTUDES N'EST-IL PAS CENSÉ FAIRE "INTÉRÊTS ! INTÉRÊTS !" AU LIEU DE "CLING ! CLING !"
OUI... ET IL NE DEVRAIT PAS AVOIR UNE PETITE QUEUE TORDUE, NON PLUS.
SECOUE
SECOUE

BÉBÉ BLUES®

RICK KIRKMAN / JERRY SCOTT

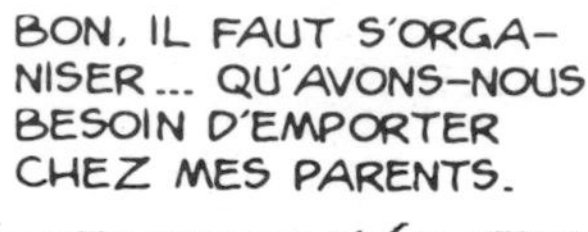
BON, IL FAUT S'ORGA-NISER... QU'AVONS-NOUS BESOIN D'EMPORTER CHEZ MES PARENTS.

KIRKMAN & SCOTT

BON, QU'EST-CE QUE NOUS POUVONS NE **PAS** EMPORTER ?
LA MOQUETTE... ON PEUT LA LAISSER.

QU'EST-CE QU'ELLE A, JUSTINE ?
JE CROIS QU'ELLE FAIT UNE DENT... C'EST LA PÉRIODE POUR SES PRÉMOLAIRES.
OUIN! OUIN! OUIN!

MAIS NOUS PARTONS EN CONGÉ DANS DEUX JOURS ! TU NE PENSES PAS QU'ELLE VA FAIRE UNE DENT PENDANT LE TRAJET, NON ?

La réponse ironique de cette case a été jugée trop imagée pour le grand public et les célibataires.

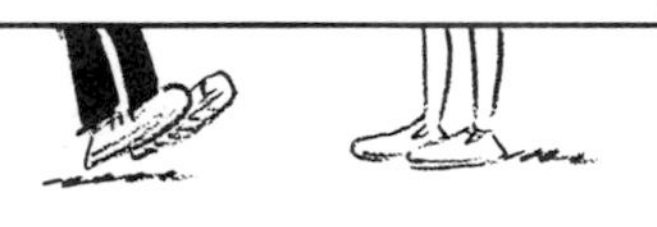

OH.
OUIN! OUIN! OUIN!
KIRKMAN & SCOTT

JE N'Y CROIS PAS ! NOUS PARTONS POUR DEUX MILLE KILOMÈTRES EN VOITURE DANS DEUX JOURS, ET JUSTINE FAIT UNE DENT !

TU SAIS CE QUI NOUS ATTEND, N'EST-CE PAS ?
DEUX MILLE KILOMÈTRES DE PLEURS, DE PLAINTES ET DE HURLEMENTS.

EXACT !
SANS COMPTER JUSTINE QUI SERA PEUT-ÊTRE DIFFICILE, ELLE AUSSI.
KIRKMAN & SCOTT

TRÈS DRÔLE !

JE SERAI CURIEUX DE VOIR COMBIEN NOUS CONSOMMERONS PENDANT LE TRAJET.

JE PENSE QUE CE SERA DANS LES 18 LITRES AU CENT.
KIRKMAN & SCOTT

TANT QUE ÇA ? POURQUOI ? LA CHARGE ? L'ALTITUDE ?

PAMPIES
COUCHES
LA RÉSISTANCE AU VENT.

BON ON N'A RIEN OUBLIÉ D'AUTRE ?
JE NE VOIS PAS. OH, ATTENDS
KIRKMAN & SCOTT

PAUVRE BÉBÉ.
TU AS MAL AUX GENCIVES, CHÉRIE ?
OUIINN !

PAUVRE BÉBÉ.
JE VAIS TE DONNER UN ANNEAU DE DENTITION.
OUIINN !

PAUVRE BÉBÉ ! PAUVRE BÉBÉ ! PAUVRE BÉBÉ !
TU ES UN SI BON PÈRE...
OUIINN !

...JUSTINE PLEURE DEPUIS DEUX HEURES ET TU ES ENCORE CAPABLE DE LA PLAINDRE.
JE PARLAIS DE MOI.

BÉBÉ BLUES®
RICK KIRKMAN / JERRY SCOTT

BIEN JOUÉ ! ELLE N'A RIEN VU VENIR.
À LA GUERRE COMME AU LAVAGE DE FIGURE L'EFFET DE SURPRISE EST CRUCIAL.
KIRKMAN & SCOTT

UNE RÉSERVATION POUR MCPHERSON.
HÔTEL PISCINE TV
OUI, M'SIEUR

NOUS AIMERIONS UNE CHAMBRE AU REZ-DE-CHAUSSÉE.
ÇA ROULE.
KIRKMAN & SCOTT

NON FUMEUR.
AVEC UN GRAND LIT.
BIEN...
OK...
TIBIDIP BIIP

OUUIIINNN!
... SI POSSIBLE INSONORISÉE
VOYAGE EN FAMILLE, HEIN ?

SI, TU L'ES !
NON, JE NE LE SUIS PAS !

SI, TU L'ES !
NON, JE NE LE SUIS PAS !
SI, TU L'ES !
NON, JE NE LE SUIS PAS !

JE NE SUIS PAS **PERDU**, POINT FINAL !
KIRKMAN & SCOTT

VOUS AVEZ RAISON, M'DAME... IL EST TÊTU.
JE VOUS L'AVAIS DIT.

PUIS-JE AVOIR VOTRE ATTENTION, SVP ?
TAP TAP

MA FEMME ET MOI-MÊME VOUDRIONS D'AVANCE VOUS PRÉSENTER NOS SINCÈRES EXCUSES.
KIRKMAN & SCOTT

VU LES CIRCONSTANCES, NOUS N'AVIONS PAS D'AUTRE CHOIX. NOUS REGRETTONS LE DÉSAGRÉMENT QUE VOUS ALLEZ SUBIR.

OUUIIINNN!
OK, VOUS POUVEZ NOUS PLACER, À PRÉSENT.
MENU
Cap'n BOB'S RESTAURANT

AARRGGGHHH ! MON DOS !
CRICK

QU'EST-IL ARRIVÉ ?
J'INSTALLAIS JUSTINE DANS SON SIÈGE, ET JE ME SUIS BLOQUÉ LE DOS !

JE NE PEUX PLUS ME REDRESSER ! PLUS BOUGER ! PLUS MARCHER !
KIRKMAN & SCOTT

PLUS CONDUIRE !
TU ES SÛR QUE C'ÉTAIT UN ACCIDENT ?

AÏE ! OUILLE ! OOH !
QU'ALLONS-NOUS FAIRE À PRÉSENT ?

IL NE NOUS RESTE PLUS QUE TROIS CENTS KILOMÈTRES... UNE FOIS CHEZ MES PARENTS, ON POURRA S'OCCUPER DE MON DOS.
MAIS TU NE PEUX PAS T'ASSEOIR... COMMENT VAS-TU FAIRE ?

CE N'EST PAS GRAVE (AÏE !) TANT QUE CE N'EST PAS TROP...
KIRKMAN & SCOTT

...HUMILIANT.
LES GENS SOURIENT ET NOUS FONT SIGNE... ÇA T'ENNUIE SI JE RÉPONDS ?

PAULINE, LES VOILÀ !

WANDA ! TU AS L'AIR SUPERBE !
MERCI. VOUS AUSSI !
C'EST MA GRANDE PETITE-FILLE ÇA ?
KIRKMAN & SCOTT

TU AS L'AIR EN FORME, FILS... DE NOUVEAUX SOULIERS ?
MERCI, P'PA. TRÈS DRÔLE.

BÉBÉ BLUES®
RICK KIRKMAN / JERRY SCOTT

B + + Z

WANDA, AS-TU VU LE MACHIN-CHOUETTE ?
QUEL MACHIN-CHOUETTE ?

TU SAIS... CETTE PETITE CHOSE QU'ON A UTILISÉE, POUR SERRER LE MACHIN SUR LE TRUC DE BÉBÉ.
OH...

JE PENSE QU'IL EST SUSPENDU SUR LE TRUC BLEU DERRIÈRE LE BIDULE OÙ JE RANGE LES AFFAIRES QUE JE NE SAIS PLUS QUI NOUS A DONNÉES.
SUPER. MERCI.

KIRKMAN & SCOTT

TU CROIS QU'IL EST POSSIBLE QUE JUSTINE APPRENNE JAMAIS À S'EXPRIMER CLAIREMENT ?
ÇA PARAÎT COMPROMIS.

TU T'ES BLOQUÉ LE DOS ? COMMENT AS-TU FAIT, MON CHOU ?
C'EST UNE LONGUE HISTOIRE, M'MAN.

TU PEUX MAR-CHER ?
PAS TRÈS BIEN.
NE BOUGE PAS, FILS... J'AI QUELQUE CHOSE QUI T'AIDERA.

NON, P'PA ! PAS LA VIEILLE CHAISE ROULANTE DE MAMIE ! TOUT, MAIS PAS ÇA !
KIRKMAN & SCOTT

ENFIN... **PRESQUE TOUT.**
TU VOIS QU'ON A BIEN FAIT DE NE PAS LA VENDRE AU DERNIER VIDE-GRENIER, HEIN, PAULINE ?

TU SAIS, CE PETIT VILLAGE DE RETRAITÉS EST PARFAIT POUR TES PARENTS.
OUI, C'EST VRAI

C'EST PROPRE, C'EST SOIGNÉ, C'EST CALME...

HEY, DUGÂTEUX, MA PETITE-FILLE EST VENUE ME VOIR, ET PAS LA TIENNE - NANANÈ-RE !

UN PEU DE RIVALITÉ, COMME PARTOUT...
HUM - HUM.
KIRKMAN & SCOTT

COMMENT VA TON DOS CE MATIN, CHÉRI ?
BIEN M'MAN. MIEUX. PAS DE PROBLÈME.

KIRKMAN & SCOTT

JE VEUX DIRE **DOULOU-REUX !** AFFREUX! JE PEUX À PEINE BOUGER !
BIEN ! JE VEUX DIRE, PAUVRE ENFANT. LAISSE-MOI TE FAIRE UN SANDWICH... TU VEUX UN OREIL-LER ? JE SAIS, JE VAIS FAIRE DES GÂTEAUX !

TA FEMME EST PLUS FACILE À CONTENTER QUE LA MIENNE.
WA-HOU!

TU NE VEUX PAS QUE PAPY REGARDE LES INFOS ? D'ACCORD !
MAIS, P'PA ! TU REGARDES TOUJOURS LES INFOS !
AMAP'PY P'PYP'PY P'PY !
TU VEUX QUE MAMIE VIENNE AVEC TOI ? ÇA ROULE !
PAULINE ! LES PATATES BRÛLENT ! CE N'EST PAS GRAVE... JE M'EN OCCUPE.
MII GAOW MAOW MAOW
KIRKMAN & SCOTT
POUR QUELQU'UN QUI NE PÈSE QUE ONZE KILOS, ELLE SAIT AVOIR DU POIDS.
DA BOUNA BOUBBA DOUBY.

ES-TU SÛR QUE VOUS DEVEZ DÉJÀ PARTIR ?
OUI... ON A UNE LONGUE ROUTE.
VOUS NE POURRIEZ PAS RESTER UN JOUR DE PLUS ?
DÉSOLÉ, M'MAN.
UNE DEMI-JOURNÉE ?
BON, D'ACCORD...
KIRKMAN & SCOTT
C'EST CERTAINEMENT LE TEMPS QU'IL FAUDRA POUR REGONFLER LES PNEUS.
PNEUS À PLAT ! BIEN JOUÉ, PAULINE !
JE VAIS FAIRE UN RÔTI.

TES PARENTS ADORENT QUE NOUS VENIONS LES VOIR, N'EST-CE PAS ?
OH OUI.
ENTRE LES BISOUS, LES ÉTREINTES ET LES LARMES, JE CROYAIS NE JAMAIS ATTEINDRE LA VOITURE.
MOI NON PLUS.
KIRKMAN & SCOTT
M'MAN N'A JAMAIS ÉTÉ TRÈS DOUÉE POUR LES ADIEUX.
METS LES ESSUIE-GLACE, ON PREND DU RETARD.

BÉBÉ BLUES®
RICK KIRKMAN / JERRY SCOTT

OH MON DIEU !
WANDA, JUSTINE, OÙ ÊTES-VOUS ?

ON EST LÀ.
OH, MERCI MON DIEU ! TOUT VA BIEN ? VOUS AVEZ VU QUELQUE CHOSE ? QU'EST-CE QU'ILS ONT PRIS ? VOUS AVEZ APPELÉ LA POLICE ?
JE N'Y CROIS PAS ! CAMBRIOLÉ EN PLEIN JOUR ! LES HABITS, LES JOUETS, LES LIVRES – TOUT ! OÙ VA LE MONDE ?
DANIEL ! CALME ! CE N'EST PAS UN CAMBRIOLAGE...
... JUSTINE A FAIT UNE LONGUE SIESTE, ALORS J'AI RANGÉ LE SALON.
ALORS VOILÀ À QUOI IL RESSEMBLAIT...
KIRKMAN & SCOTT

FOYER, DOUX FOYER !
ENFIN !

JE SUIS IMPATIENTE QUE TOUT SOIT DÉCHARGÉ ET QUE LES CHOSES REDEVIENNENT NORMALES.
OUF !

TOUT BIEN CONSIDÉRÉ, REPARTONS CHEZ TES PARENTS.
HÉ ! Y A RIEN À MANGER !
DRING! DRING! DRING!
OUUIINN!
DING! DONG!

LE PIRE, AVEC LES CONGÉS, C'EST DE REPRENDRE LE TRAVAIL. TU VERRAIS CETTE PILE DE DOSSIERS !
AH, OUI ?

LE PIRE, AVEC LES CONGÉS, C'EST LA LESSIVE À FAIRE EN RENTRANT !
ET DÉFAIRE LES BAGAGES C'EST CE QU'ON DÉTESTE LE PLUS !

CES HEURES DE VOITURE... UN CALVAIRE !
ET CES HÔTELS MINABLES ! TU AS RAISON LES VACANCES NE VALENT PAS LE COUP !
KIRKMAN & SCOTT

ON REPART QUAND ?

VOUS VOUS ÊTES FINALEMENT DÉCIDÉS POUR LE PRÉNOM DU BÉBÉ, YOLANDE ?
NON, MAIS NOUS AVONS RÉTRÉCI LA LISTE.
US MAIL

MAINTENANT, C'EST ENTRE PASCALE, ISABELLE, FLORENCE, MARTINE, MARIANNE, NICOLE, COLETTE, MAYA, AÏSHA, ÉLISABETH, SUZANNE, NANCY, CATHIE, JEANNETTE, LISE, NATHALIE, ARLETTE, VÉRA, PEGGY, DINA, ALICIA, TATIA, ELSA, LUCETTE, ANNE, VALÉRIE, BETTY, THELMA ET LOUISE.
KIRKMAN & SCOTT

TU APPELLES ÇA RÉTRÉCIR LA LISTE ??
NOUS AVONS ÉLIMINÉ BELLA ET HORTENSE.

OK, JUSTINE. C'EST L'HEURE DU DODO. DIS "NE-NUI" À TON BALLON.
NE-NUI BAL.

DIS "NE'-NUI" À TON TRAIN.
NE-NUI TAIN.
(BÂILLE !) DIS "NE'-NUI" À TON (BÂILLE !) NOUNOURS.
NE-NUI NOURS.

(BÂILLE !)

Z
NE-NUI PA-PA.
KIRKMAN & SCOTT

DING! DONG!

QU'EST-CE QUE C'EST ?
ÇA VIENT DE TES PARENTS.

TU TE RENDS COMPTE ? NOUS LES AVONS QUITTÉS IL Y A UNE SEMAINE, ET ILS NOUS ENVOIENT DÉJÀ UN CADEAU !
C'EST QUOI ? DES PRODUITS MAISON ? UN JOUET POUR JUSTINE ?

TOUT CE QU'ON A OUBLIÉ LÀ-BAS.
KIRKMAN & SCOTT

BOUP! BOUP! BOUP! BOUP!
POINT ARGENT

GRIIRR! KA-CHOUNG! BIIP! BIIP! BIIP!
POINT ARGENT

POINT ARGENT
NON, NON, JUSTINE... ÇA, C'EST LE JOUET DE **MAMAN**.
!!!!!!
MANABOUE IIPIIE !
J'AI ENTENDU !
KIRKMAN & SCOTT

BÉBÉ BLUES®
RICK KIRKMAN / JERRY SCOTT

MINCE ! ON EN A POUR UNE ÉTERNITÉ !
PAS FORCÉMENT. REGARDE !

ÇA, C'EST PAS POUR TOI !

OUUIIINNN!

VOUDRIEZ-VOUS PASSER DEVANT MOI ?
HÉ BEN... BON, D'ACCORD... MERCI !
WAAAA AAAA!

OUUUIIIIIINNNNN !
APRÈS VOUS.
MERCI. C'EST SYMPA. DÉSOLÉS.
S'IL VOUS PLAÎT.
ALLEZ-Y.

C'ÉTAIT DU GOÛT LE PLUS SOURNOIS.
ED L'ÉPICIER
IL N'Y A PAS DE QUOI.
SNIF!
99¢
POMMES 2 POUR LE PRIX D'1

JE N'AVAIS JAMAIS PENSÉ QU'ÉLEVER UN BÉBÉ DE QUATORZE MOIS SERAIT SI DIFFÉRENT QUE S'OCCUPER D'UN NOUVEAU-NÉ.
MAIS ÇA L'EST !
C'EST TOUT UN ENSEMBLE DE NOUVEAUX SOUCIS, UN ENSEMBLE DE NOUVELLES TÂCHES, UN ENSEMBLE DE NOUVELLES APTITUDES...
QUI COMPORTENT TOUS LES MOTS "REVIENS ICI !"
KIRKMAN & SCOTT

JE VEUX VRAIMENT VOIR LE DERNIER FILM DE TOM CRUISE.
ALLONS-Y CE SOIR.

CE SOIR ??
POURQUOI PAS ? SOYONS SPONTANÉS, POUR UNE FOIS !

KIRKMAN & SCOTT

NOUS AVONS **UN BÉBÉ**... IL ME FAUT UNE SEMAINE D'AVANCE POUR ÊTRE SPONTANÉE !

PAS DE BABY-SITTER POUR CE SOIR, HEIN ?
NON. TANIA EST DÉJÀ PRISE PAR LES LEVET, ANGÈLE EST EN COLONIE, ET CHLOÉ SORT.
CLICK !

TOUTES CELLES QUI ONT UNE VIE SONT OCCUPÉES.

TILT !

ALLÔ, RHONDA ?
'SOIR WAN...
KIRKMAN & SCOTT

C'EST TRÈS SYMPA DE LA PART DE TA SŒUR DE GARDER JUSTINE AU PIED LEVÉ.
OUI, RHONDA EST SUPER.
CROIS-TU QU'ELLE SE MARIERA UN JOUR ?
OH OUI, MAIS PAS TROP TÔT, J'ESPÈRE.
KIRKMAN & SCOTT
UN JOUR, ELLE RENCONTRERA UN GARS MIGNON, ILS SE FIANCERONT, PUIS SE MARIERONT, ET ALORS **PLAF** ! TU VOIS CE QUI ARRIVERA.
ADIEU LA BABY-SITTER LA PLUS SÛRE QUE NOUS AYONS JAMAIS EUE ?
EXACT. INUTILE DE BRUSQUER LES CHOSES.

NE BOUGE PAS PAPA VA TE BROSSER LES DENTS, JUSTINE ! LÀ... NON... ALLEZ...
ATTENDS ! J'AI UNE IDÉE ! JUSTINE, TU BROSSES LES DENTS DE PAPA PENDANT QU'IL BROSSE LES TIENNES !
KIRKMAN & SCOTT
ATTENDS... J'AI UNE AUTRE IDÉE !
IMPATIENT DE L'ENTENDRE.

BÉBÉ BLUES®
RICK KIRKMAN / JERRY SCOTT

... ALORS LE GRAND OURS EN PELUCHE TRAVERSA LA LARGE RIVIÈRE À LA NAGE POUR PRÉVENIR MONSIEUR KANGOUROU !

ELLE EST PRESQUE ENDORMIE... PEUT-ÊTRE DEVRAIS-TU FINIR L'HISTOIRE DEMAIN SOIR.
BONNE IDÉE. JE VOULAIS LIRE LE JOURNAL, DE TOUTE MANIÈRE.

LES EXPERTS EN ÉCONOMIE ONT ANNONCÉ AUJOURD'HUI QUE LE DÉFICIT ESTIMÉ A ÉTÉ MINIMISÉ PAR LE Parlement.
KIRKMAN & SCOTT

JE VAIS METTRE LE SIÈGE-AUTO DANS LE VAN PENDANT QUE TU FINIS DE L'HABILLER
D'AC, MAIS NE FROISSE PAS TA VESTE.

OUF!
GRUMF!
KIRKMAN & SCOTT

PRÊT ?

BEEERK!

BEEERK!

C'EST MON IMAGINATION, OU JUSTINE BAVE PLUS QUE D'HABITUDE AUJOURD'HUI ?
C'EST RIEN, TU AS VU LE COULOIR ?
KIRKMAN & SCOTT

KIRKMAN & SCOTT

QUEL EST CE CORPS, ET COMMENT MA TÊTE S'EST-ELLE FIXÉE DESSUS ?
OUBLIE CE QUE J'AI DIT AU SUJET DES GLACES POUR LE DESSERT, CE SOIR.

C'EST BIEN ! GRANDE FILLE !
J'AIMERAIS QUE TU NE DISES PAS "GRANDE FILLE" À JUSTINE... ON DIRAIT QUE TU PARLES À UN CHIEN.

ON DEVRAIT UTILISER DES MOTS QUI LA METTRONT EN CONFIANCE SANS ÊTRE CON-DESCENDANTS.
COMME QUOI ?

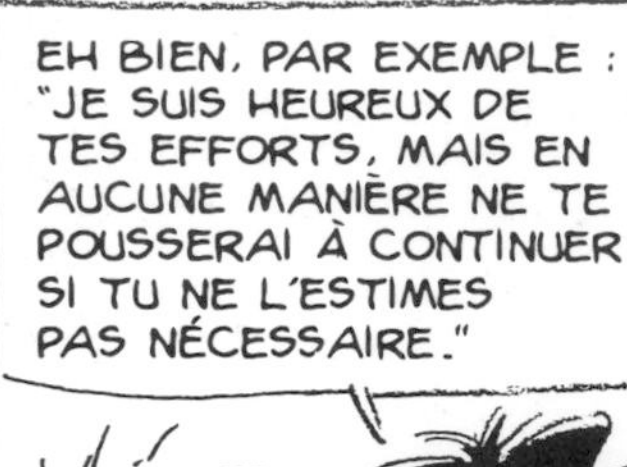
EH BIEN, PAR EXEMPLE : "JE SUIS HEUREUX DE TES EFFORTS, MAIS EN AUCUNE MANIÈRE NE TE POUSSERAI À CONTINUER SI TU NE L'ESTIMES PAS NÉCESSAIRE."

TU AS ENCORE PARLÉ À TON AMI AVOCAT, N'EST-CE PAS ?
PEUT-ÊTRE.
OUIINN !
KIRKMAN & SCOTT

WOUAW ! QUEL ORAGE ! JE N'AI PAS VU DE TELS ÉCLAIRS DEPUIS DES ANNÉES !
ÇA, C'EST CE QUE J'APPELLE UN COUP DE TON-NERRE ! WOUW !

TU SAIS, ÇA PEUT FAIRE PEUR AUX BÉBÉS... PEUT-ÊTRE JUSTINE DEVRAIT-ELLE DORMIR...
CRAAACK

...AVEC NOUS.
KIRKMAN & SCOTT

C'EST CHOUETTE QUE TU VEUILLES ACHETER UN NOUVEL ENSEMBLE À JUSTINE. PRENDS LA BONNE TAILLE.

ELLE PORTE DU 18 MOIS EN CHEMISIERS, SAUF S'ILS SE BOUTONNENT, ALORS IL FAUT DU 24 MOIS. TOUJOURS TAILLE 2 EN PANTALONS NON ÉLASTIQUES, 18 MOIS S'ILS LE SONT, ET TAILLE 2 OU 24 MOIS EN ROBES.

JE TE PASSE LE CHÉQUIER.
KIRKMAN & SCOTT

RAYON ENFANT
CETTE TAILLE.

BÉBÉ BLUES®
RICK KIRKMAN / JERRY SCOTT

... ET APRÈS AVOIR REÇU NOTRE PRIX NOBEL, CLAIRE ET MOI AVONS ÉTÉ ENLEVÉS PAR DES EXTRATERRESTRES QUI FIRENT DE NOUS LEURS ROI ET REINE.
C'EST LA VÉRITÉ VRAIE.
HU-HUM. C'EST SUPER.
JE PENSE QUE JUSTINE ÉTAIT PLUS GRANDE À CET ÂGE... JE ME DEMANDE CE QU'ELLE FAIT EN CE MOMENT ?
VRAIMENT ? TRÈS INTÉRESSANT.
QU'IL EST MIGNON ! IL A DE SI GRANDS YEUX ! J'AIMERAIS LE PRENDRE DANS MES BRAS.
LE PROBLÈME DES DÎNERS AVEC LES JEUNES PARENTS

QUE VEUX-TU POUR DÎNER CE SOIR, DANIEL ?

OH, ÇA M'EST ÉGAL. FAIS CE QUE TU VEUX, ÇA ME CONVIENDRA.
SMAK
KIRKMAN & SCOTT

ENCORE !

TU ES FATIGUÉE, WANDA. POURQUOI NE PAS TE REPOSER PENDANT QUE JUSTINE ET MOI FAISONS DES HAMBURGERS, POUR DÎNER ?
C'EST GÉNIAL... MERCI.

HÉ, CHÉRIE. OÙ EST CE GRAND FAIT-TOUT QUE MA MÈRE NOUS A DONNÉ POUR NOËL ?
DANS LE PLACARD À CÔTÉ DU FRIGO.

LE FAIT-TOUT ? POUR DES HAMBURGERS ?

KIRKMAN & SCOTT

SI NOS FINANCES SONT SI MAUVAISES, PEUT-ÊTRE DEVRAIS-JE TRAVAILLER À MI-TEMPS

CE NE SERAIT PAS FACILE, MAIS DISONS QUE JE POURRAIS FAIRE VINGT HEURES PAR SEMAINE... QUATRE FOIS DANS LE MOIS...

KIRKMAN & SCOTT

JE GAGNERAIS TOUT JUSTE DE QUOI PAYER LA NOURRICE.
PEUT-ÊTRE QUE, SI J'ÉTAIS AUGMENTÉ, TU POURRAIS TRAVAILLER.

C'EST EFFARANT L'ARGENT QU'ON PEUT DÉPENSER POUR ÉLEVER UN ENFANT.
JE SAIS. NOËL ET CLAIRE N'ONT PAS D'ENFANT, ET ILS VIENNENT D'ACHETER UNE MERCEDES NEUVE.

OUI, MAIS EST-CE QUE NOËL ET CLAIRE PEUVENT CÂLINER LEUR MERCEDES ? LUI SOUHAITER BONNE NUIT ET LA REGARDER DORMIR PENDANT DES HEURES ?
NON.

KIRKMAN & SCOTT

EN FAIT, NOËL LE FAIT... MAIS IL DIT QUE CLAIRE S'EN LASSE APRÈS TRENTE MINUTES.

UN... DEUX...

TRO-OOIIIRRGGHHH!
KIRKMAN & SCOTT

OH, J'AI OUBLIÉ DE TE DIRE QUE J'AI VIDÉ LE TIROIR FOURRE-TOUT AUJOURD'HUI.
TU ME LE DIS **MAINTENANT** !

TU CROIS AUX VIES ANTÉRIEURES ?
BIEN SÛR. JE ME SOUVIENS DE LA MIENNE AVEC PRÉCISION.

VRAIMENT ? COMMENT ÉTAIT-CE ?
VOYONS... DES VOYAGES, DES LOISIRS... DE BONS REPAS...

... LA MAISON ÉTAIT TOUJOURS RANGÉE... ET, OH ! LE SOMMEIL ! JE DORMAIS TOUJOURS BEAUCOUP !

JE PARLAIS DES VIES ANTÉRIEURES **PASSÉES** !
OH.
KIRKMAN & SCOTT

SALUT, POUPÉE.

KIRKMAN & SCOTT

TU AS MANGÉ DE BONS LIVRES, RÉCEMMENT ?
TU AS VU TON EXEMPLAIRE DE "L'AFFAIRE PÉLICAN", HEIN ?

À QUI PENSES-TU QUE JUSTINE RESSEMBLE LE PLUS... TOI OU MOI ?
C'EST FACILE...

CE CHARMANT SOURIRE, CES FOSSETTES, CES YEUX BLEUS, LE JOLI PETIT NEZ... COMMENT PEUT-ON POSER LA QUESTION ?

JE CROIS QUE TU AS RAISON.

ELLE ME RESSEMBLE !
KIRKMAN & SCOTT

CES ASSIETTES À COMPARTIMENTS SONT SI MIMI !

ET ELLES PERMETTENT VRAIMENT DE SÉPARER CHAQUE ALIMENT. JUSTINE ADORE QUE CE SOIT COMME ÇA.
JE SAIS...

BLANG!

... CAROTTES AU PLAFOND, PETITS POIS PAR TERRE, SPAGHETTIS SUR LA TÊTE...
KIRKMAN & SCOTT

UN PÈRE JOUE BIEN DES RÔLES DANS LA VIE DE SA FILLE... ÉDUQUER, PROTÉGER, SUBVENIR...

VA VOIR MAMAN.

...ESQUIVER...
KIRKMAN & SCOTT

AS-TU REMARQUÉ COMBIEN CES OBJETS SONT PETITS ?

QUAND J'ÉTAIS ENFANT, NOUS AVIONS DE BEAUX GROS CUBES ! POURQUOI SONT-ILS SI MINUSCULES DE NOS JOURS ?

TAACK!
KIRKMAN & SCOTT

DÉSOLÉ. QUE DISAIS-TU ?
OUBLIE.

NOUS AVONS UNE ANNONCE À VOUS FAIRE. MARC ET MOI AVONS TROUVÉ LE PRÉNOM DE NOTRE BÉBÉ.
AÏSHA.

AÏSHA...
AÏSHA.
AÏSHA.

À VOS SOUHAITS. QUELQU'UN A BESOIN DE MOUCHOIRS ?
KIRKMAN & SCOTT

QUOI ? QU'EST-CE QUE J'AI DIT ?
BAM! BAM! BAM!

BÉBÉ BLUES®
RICK KIRKMAN / JERRY SCOTT

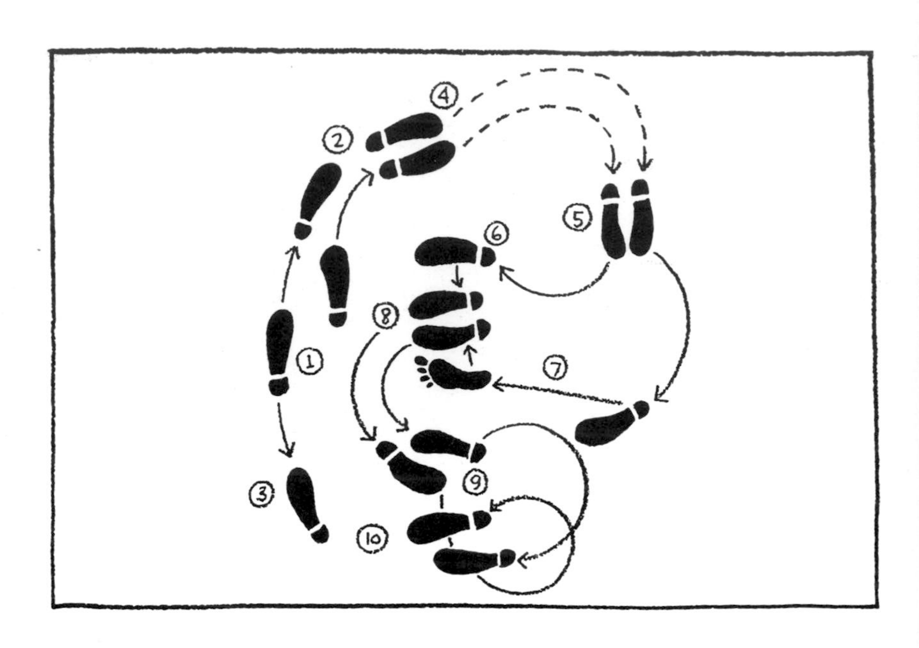
1
2
3
4
5
6
7
8
9
10

ÊTRE PRÊT POUR ALLER AU BOULOT GUIDE EN SIX ÉTAPES SIMPLES A L'USAGE DU PÈRE

1 DOUCHE
I FEEL GOOD! (DOO-DOO-DOO-DOO DOO-DOO-DOO) I KNEW THAT I WOULD NOW— (DOO-DOO-DOO-DOO DOO-DOO-DOO)...
2 RASAGE
AÏE ! OUÏE ! AÏE !
3 TENUE
4 JUGEMENT
PAS MAL
5 AU REVOIR
SMAACK
SMAA...
6 RECOMMENCER
KIRKMAN & SCOTT

MINCE ! CE CHEMISIER BLEU NE TE VA PLUS, JUSTINE.

OH NON ! JE PEUX À PEINE FERMER CET ENSEMBLE !

DIEU MERCI, LE LIVRE DIT QUE LA CROISSANCE RALENTIT AU COURS DE TA DEUXIÈME ANNÉE.
ÇA S'APPLIQUE À NOUS TOUS, OU JUSTE À ELLE ?
KIRKMAN & SCOTT

PAPA EST RENTRÉ, JUSTINE ! TU VEUX JOUER AU CHEVAL ? TU VEUX JOUER À L'AVION ? TU VEUX...

OH, BIEN, OK. PLUS TARD.

JE VOULAIS VOIR LES INFOS, DE TOUTE FAÇON.
CLIC
CLIC

(SOUPIR...)
KIRKMAN & SCOTT

300,00
ÇA VOUS FAIT TROIS CENTS FRANCS.
TROIS CENTS FRANCS ? POUR ÇA ?

IL N'Y A QUE DEUX SACS DE COURSES ! LA NOTE NE FAIT QUE DIX CENTIMÈTRES !
KIRKMAN & SCOTT

QUAND J'ÉTAIS ENFANT, POUR TROIS CENTS FRANCS, LA NOTE AURAIT FAIT TROIS MÈTRES DE LONG ! C'EST RIDICULE ! C'EST SCANDALEUX ! C'EST... C'EST...

...TRENTE FRANCS LE CENTIMÈTRE !
OUAIS !

C'EST BIZARRE D'ÊTRE LÀ, DEBOUT, À REGARDER JUSTINE DORMIR SI CALMEMENT.
Z

ON NE CROIRAIT JAMAIS QU'IL Y A JUSTE UNE HEURE, ELLE DÉVASTAIT TOUT CE QU'ELLE POUVAIT.
OUI... OU QU'ELLE POURRAIT SE RÉVEILLER À TOUT INSTANT, ET RECOMMENCER.

Z
KIRKMAN & SCOTT

C'EST COMME SI NOUS AVIONS NOTRE VÉSUVE PERSONNEL DANS UN LIT D'ENFANT.

... SAVEUR RICHE, DOUCE... MON MARI M'A DIT QUE SI JE SERVAIS ENCORE CETTE SALADE COMPOSÉE... PROTECTION MAXIMUM AVEC CETTE SENSATION DE FRAÎCHEUR TOUTE ... YEAH! YEAH! AH-AH! BIEN... VINGT DEGRÉS DANS LES RÉGIONS ISOLÉES AVEC DES PLUIES OCCASIONNELLES...
KIRKMAN & SCOTT

J'AIMERAIS QUE TU NE LAISSES PAS JUSTINE MÂCHER LA TÉLÉCOMMANDE.
C'EST JUSTE LE TEMPS QUE SON ANNEAU DE DENTITION REFROIDISSE.

J'ADORE LES SAMEDIS.

JE ME SENS D'HUMEUR À FAIRE LE TOUR DE LA MAISON POUR VOIR QUELQUES RÉPARATIONS... QUE VEUX-TU QUE JE FASSE D'ABORD ?
ÇA ALORS, JE NE SAIS PAS...

PRÉFÈRES-TU RÉPARER CE QUE TU AS CASSÉ PENDANT QUE TU ESSAYAIS D'ARRANGER CE TRUC QUI NE L'A JAMAIS ÉTÉ, OU COMMENCER PAR CE QUE TU N'AS JAMAIS ESSAYÉ DE RÉGLER POUR TE METTRE EN CONFIANCE ?
KIRKMAN & SCOTT

APRÈS RÉFLEXION, LOUONS UNE VIDÉO.

BÉBÉ BLUES®
RICK KIRKMAN / JERRY SCOTT

CESSE DE GRANDIR

REGARDE, JUSTINE ! VOILÀ UN BUS D'ÉCOLIERS !

IL EST JAUNE ET REMPLI D'ENFANTS QUI VONT À L'ÉCOLE !

UN JOUR, QUAND TU SERAS GRANDE, MAMAN TE FERA DES TRESSES, METTRA TON GOÛTER DANS TON CARTABLE ET T'ACCOMPAGNERA À L'ARRÊT DU BUS...
KIRKMAN & SCOTT

... ET SE DRESSERA DEVANT LE BUS, EN HURLANT "PAS MON BÉBÉ ! NE ME LA PRENEZ PAS DÉJÀ !"
PLUS QUE QUATRE ANS ! OÙ A FILÉ LE TEMPS ??

JE SAIS QUE LA PREMIÈRE MOLAIRE DE JUSTINE N'EST PAS UNE PETITE AFFAIRE...
TOUT À FAIT !

... ET JE SAIS QUE NOUS NOUS SOMMES PROMIS D'ENREGISTRER TOUTES LES ÉTAPES IMPORTANTES DE LA VIE DE JUSTINE ...
EN EFFET ...

MAIS PEUT-ÊTRE POURRIONS-NOUS NOUS CONTENTER D'UNE PHOTO, CETTE FOIS...
RIEN À FAIRE ! J'AI RÉGLÉ LA MISE AU POINT. ESSAIE DE LA FAIRE BÂILLER !
KIRKMAN & SCOTT

CLIC !
PA-PA !

MOMIIPOUNA MAMA BA GA NA IIII IIIP !

BA BA BA BA BA BA MA KA MOU PFFFTH !
KIRKMAN & SCOTT

UN GRAND JOUR ?
JE CROIS QUE C'ÉTAIT L'IDÉE.
Z

QU'EST-CE QU'IL Y A, MA CHÉRIE ? HEIN ? TU VEUX MAMAN ? MAMAN EST LÀ !

VIENS... ON VA JOUER AU BALLON. C'EST PARTI ! YOOUUUU !
SNIF !

BUMP !

JE HAIS LES DENTS.
KIRKMAN & SCOTT

TU POURRAIS M'AIDER À FAIRE LA VAISSELLE, AU LIEU DE RESTER PLANTÉE LÀ, TU SAIS.
LAISSE-MOI SOUFFLER ! J'AI CUISINÉ TOUT L'APRÈS-MIDI !
OU IINN!

OH, BIEN ! EXCUSE-MOI !
EN PLUS, IL N'Y A PAS GRAND-CHOSE, TU DEVRAIS AVOIR FINI, ET...
OUI INN!

SNIF!

SI C'EST ELLE QUI FAIT SES DENTS, POURQUOI EST-CE NOUS QUI NOUS EMPORTONS ?
KIRKMAN & SCOTT

"ÊTRE MÈRE AU FOYER N'EST PAS TRÈS DIFFÉRENT DE MON ANCIEN TRAVAIL.

MATINÉE BOUSCULÉE PAR LES IMPRÉVUS, PROBLÈMES À RÉSOUDRE ET INTERRUPTIONS CONSTANTES...
KIRKMAN & SCOTT

...SUIVIE DU DÉJEUNER AVEC LES COLLÈGUES."

PFFIOU ! JUSTINE A L'AIR ÉNERVÉE, CE SOIR.
BRILLANTE DÉDUCTION, SHERLOCK.
OUIN! OUIN! OUIN!

PEUT-ÊTRE QU'ELLE SE SENTIRAIT MIEUX AVEC L'ANNEAU DE DENTITION.

EH BIEN, TANT MIEUX POUR ELLE. JE NE TE DIS PAS À QUEL POINT JE SUIS CREVÉE. ET METS-TOI UN PEU À MA PLACE ... JE N'AI PAS EU UNE MINUTE À MOI...
NIOUNG NIOUNG NIOUNG

KIRKMAN & SCOTT

BÉBÉ BLUES®
RICK KIRKMAN / JERRY SCOTT

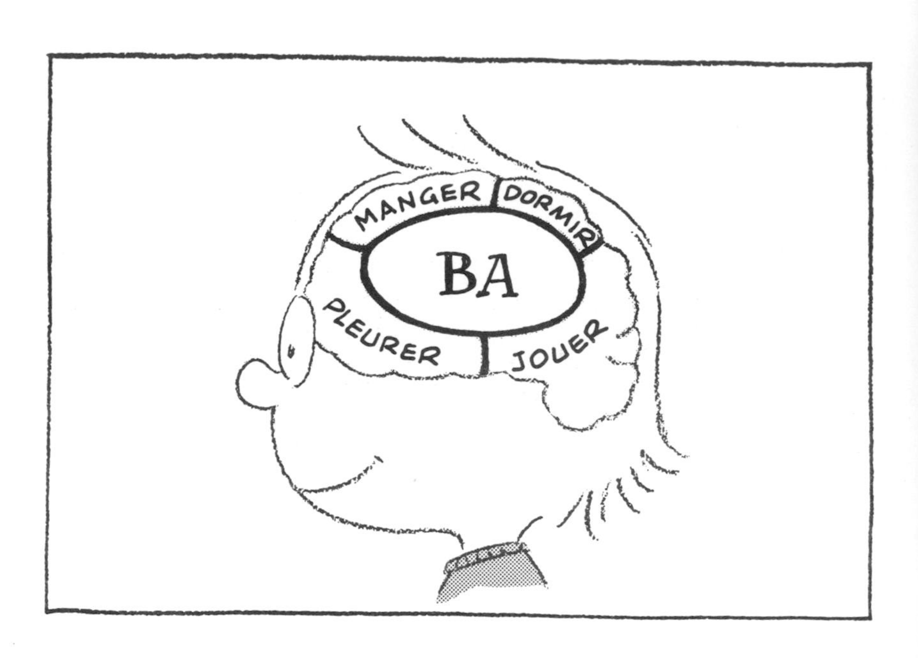
MANGER
DORMIR
BA
PLEURER
JOUER

BALLE. TU SAIS DIRE "BALLE"
BIEN !
BA.
Ballon
BOÎTE
BA.
Boîte
BANC
BA
Banc
BLATTE
BA
Blatte
BÊTE
BA
Bête
BALAI
BA
BÂTON
BA
BOEUF
BA
BAC
BA
BUS
BA
BAVOIR
BA
BAGUE
BA
BOA
BA
BATEAU
BA
BA
KIRKMAN & SCOTT
Chère maman
Aujourd'hui Justine a étoffé son vocabulaire de 14 mots
UN RECORD, JE PARIE !

HOP EN L'AIR !

R-R-R-R-R-R-R-R-R! L'AVION ARRIVE !
!!!!!!!!
KIRKMAN & SCOTT

MESDAMES ET MESSIEURS, L'INCROYABLE BÉ-BÉÉ BOULET DE CANON !

C'EST BIZARRE... ELLE N'A JAMAIS SOMMEIL QUAND JE LA COUCHE.
SAUTE
SAUTE

OOUUIIIINN !

POURQUOI TU ES LEVÉ ?
POURQUOI TOI TU ES LEVÉE ?

JE VIENS DE CHANGER JUSTINE.
JE VIENS DE CHANGER JUSTINE.

SNIF !
KIRKMAN & SCOTT

AVANT D'ÊTRE PÈRE, JE NE TENAIS PAS COMPTE DES BÉBÉS, ET JE REGARDAIS LA TÉLÉ.

MAIS DEPUIS QUE JUSTINE EST NÉE, JE NE TIENS PLUS COMPTE DE LA TÉLÉ ET JE REGARDE LE BÉBÉ.

C'EST MIEUX.
EN PLUS, C'EST GRATUIT.
BING!
VLAN!
KIRKMAN & SCOTT

JUSTINE A APPRIS UN NOUVEAU MOT.
SMACK

VRAIMENT ? QUEL MOT ? TU PEUX LE DIRE POUR PAPA ? HEIN ? TU PEUX ? ALLEZ, MA CHÉRIE, DIS LE MOT ! DIS LE MOT ! DIS LE MOT ?

NON !

DIS DONC ! ELLE LE DIT BIEN !
ET SOUVENT
NON-NON NON-NON NON-NON NON-NON NON-NON NON !
KIRKMAN & SCOTT

BÉBÉ BLUES®
RICK KIRKMAN / JERRY SCOTT

C'EST LA QUATRIÈME FOIS QUE TU VOIS CETTE VIDÉO...
... PAPA PEUT-IL VOIR CE QUI S'EST PASSÉ DANS LE VRAI MONDE AUJOURD-HUI ?

(CLIC !) ... PIRES JOURS DE COMBATS DEPUIS ...(CLIC!) ...ALLÉGA-TIONS DE FRAUDE

(CLIC !) ... ENLÈVEMENT (CLIC !) ... EXÉCUTIONS HORREURS

(CLIC !) ... MEURTRE BRUTAL D'UN TOURISTE...

(CLIC !) ... CONDAMNÉ POUR AGRES-SION - (CLIC !) ... MALNUTRITION - (CLIC !) ... (CLIC !) (CLIC !)

JE VOUS AIME, VOUS M'AIMEZ, QUELLE BELLE ET GRANDE FAMILLE...
KIRKMAN & SCOTT

KIRKMAN & SCOTT

"BIEN SÛR, JUSTINE... TU PEUX BOIRE UN PEU DU SODA DE PAPA ! DE LA CAFÉINE DU SUCRE – QUEL MAL CELA PEUT-IL FAIRE ?"
OK ! OK ! MAIN-TENANT JE LE SAIS !

...IL ENFONÇA SON POUCE ET SORTIT UNE PRUNE...
...FAIS-MOI UN GÂTEAU AUSSI VITE QUE TU PEUX...
...ENSEMBLE, ILS LÉCHÈRENT LE PLAT !

TU SAIS CE QU'IL NOUS FAUDRAIT ? DES COMPTINES SUR L'AÉROBIC.
KIRKMAN & SCOTT

CELUI QUI A DIT QUE MARIAGE ET ROMANCE NE SONT PAS INCOMPATIBLES...
KIRKMAN & SCOTT

SPLAT!
SPLORT!
BLOOP!

...A DÛ DÎNER AVEC NOUS AVANT.

OUAAH

ARGH! PLLLLTH!
PFFT!
PFFT!
PFFT!

NIVÉA.
KIRKMAN & SCOTT

TACHE DE TOMATE...

BOUILLON DE BŒUF...

HARICOT VERT...
RESTE DE NOUILLES...

JE NE FAIS PAS LA LESSIVE – JE FAIS DU MINESTRONE !
KIRKMAN & SCOTT

QU'EST-CE QU'ELLE A EU AU PETIT DÉJ' ?

PRUNES, BANANES ET CORN FLAKES
OH, BIEN, PARFAIT...

... J'AIME LES TACHES ASSORTIES À MA CRAVATE.
KIRKMAN & SCOTT

OH ! JE NE T'AI PAS DEMANDÉ À PROPOS DU RENDEZ-VOUS DE JUSTINE CHEZ LE DOCTEUR.
ÇA S'EST BIEN PASSÉ.

"BIEN" C'EST TOUT ?
EH BIEN, NOUS AVONS DISCUTÉ DE DISCIPLINE DE BASE, D'ACCÈS DE COLÈRE MALVENUS ET DE SELF-CONTRÔLE.

DIS DONC ! JE PENSAIS QU'IL S'AGISSAIT JUSTE D'UNE PIQÛRE DE RAPPEL...

QU'EST-CE QU'ELLE A FAIT ?
JE CROIS QU'IL PARLAIT DE MOI.
KIRKMAN & SCOTT

E
SECOUE ! SECOUE !

ANH ! GROUNT !
SECOUE !

BWOUIP
AARRGGHHHH !

KIRKMAN & SCOTT

BON DIEU ! QUELLE SALE JOURNÉE J'AI EUE !
QUELQU'UN A-T-IL RENVERSÉ TOUTES LES PLANTES DE TON BUREAU ET RÉPANDU LA TERRE PARTOUT ?

NON.
QUELQU'UN A-T-IL COURU PARTOUT EN LAISSANT DES TRACES DE MAINS SALES PLUS VITE QUE TU NE POUVAIS LES NETTOYER ?
NON.

QUELQU'UN A-T-IL HURLÉ, POUR ATTIRER TON ATTENTION CHAQUE FOIS QUE TU TE DÉTOURNAIS OU QUE TU PRENAIS LE TÉLÉPHONE ?
NON.

ALORS JE PENSE QUE TU N'AS PAS EU UNE SALE JOURNÉE ... SIMPLEMENT UNE MAUVAISE JOURNÉE.
JE RECONNAIS MON ERREUR.

CE MAUDIT INTERPHONE ME REND VRAIMENT FOU.
BAM! BAM! BAM!

POURQUOI ? IL MARCHE BIEN.

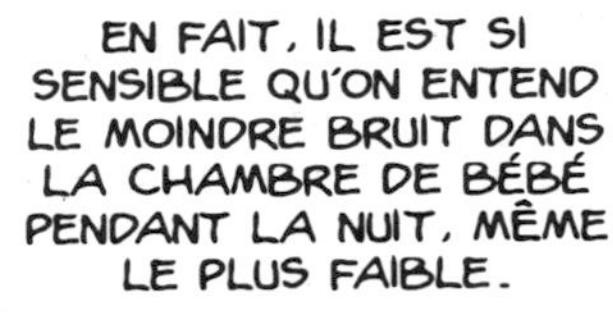
EN FAIT, IL EST SI SENSIBLE QU'ON ENTEND LE MOINDRE BRUIT DANS LA CHAMBRE DE BÉBÉ PENDANT LA NUIT, MÊME LE PLUS FAIBLE.

JE SAIS.
BAM! BAM! BAM!

QU'EST-CE QU'ON VA MANGER POUR LE DÎNER ?
RECETTES

VOYONS... ON A MANGÉ DES HAMBURGERS LUNDI SOIR ... DU POULET HIER SOIR...
RECETTES

RECETTES

SAUF ERREUR, C'EST DE NOUVEAU LE TOUR DES HAMBURGERS.
C'EST MOI, OU NOUS SOMMES TOMBÉS DANS LA ROUTINE ?
RECETTES
KIRKMAN & SCOTT

BÉBÉ BLUES®
RICK KIRKMAN / JERRY SCOTT

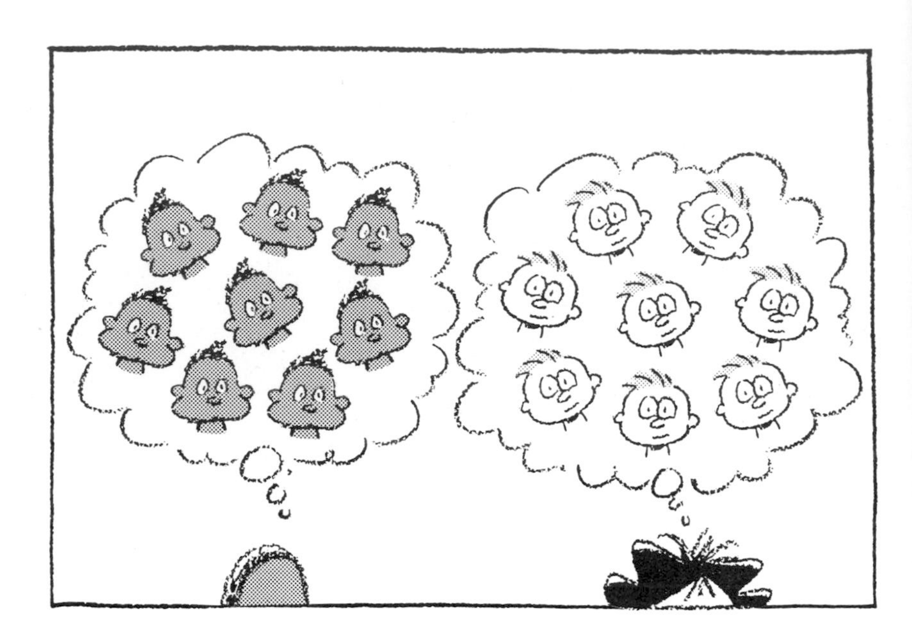

OK, AMUSEZ-VOUS
PAS DE CRAINTE, NOUS CONTRÔLONS LA SITUATION.
N'EST-CE PAS GÉNIAL ?
C'EST TRÈS GENTIL À EUX DE GARDER LES ENFANTS POUR QU'ON PUISSE SE DÉTENDRE.
LIBRES TOUT UN APRÈS-MIDI, ET NOUS NE PARLERONS MÊME PAS DE BÉBÉS POUR CHANGER !
"CHANGER"... ÇA ME RAPPELLE COMBIEN DE FOIS PAR JOUR CHANGEAIS-TU JUSTINE QUAND ELLE AVAIT L'ÂGE D'AÏSHA ?
NOUS NE SOMMES PAS CENSÉES PARLER DE BÉBÉS, MAIS JE CROIS QUE C'ÉTAIT DIX FOIS.
BIEN, À PEU PRÈS CE QUE NOUS FAISONS... MAIS PARLONS D'AUTRE CHOSE.
JE CROIS QUE C'EST PARCE QU'ELLES MANGENT SANS CESSE.
C'EST BIEN VRAI. JE ME SENS PLUS "MAMMAIRE" QUE "MAMAN" CES JOURS-CI.
OH, ÇA FINIRA PAR CHANGER. ET LE SOMMEIL ?
JE DIRAIS QUATRE HEURES D'AFFILÉE. T'AI-JE DIT CE QU'A FAIT AÏSHA L'AUTRE NUIT QUAND...
OH ! ÇA ME RAPPELLE ! QUAND JUSTINE AVAIT UN MOIS, NOUS AVIONS L'HABITUDE DE...
KIRKMAN & SCOTT
SUFFIT. NOUS SOMMES CENSÉES NE PAS PARLER BÉBÉS, TU TE SOUVIENS ?
C'EST TOI QUI N'EN AS PAS PARLÉ LA PREMIÈRE.

OÙ EST
LE NEZ DE
PAPA ?

BIEN ! OÙ
EST L'OREILLE
DE PAPA ?

BIEN !
OÙ SONT LES
LUNETTES
DE PAPA ?
KIRKMAN & SCOTT

HÉ ! OÙ
VONT LES
LUNETTES
DE
PAPA ?!
PLUS
IMPORTANT,
OÙ EST LE
CERVEAU
DE PAPA ?

JUSTINE !
NE FAIS
PAS
ÇA !
SLURP !
SLURP !

BERK !
DES POILS
ET DES
CHEVEUX !
ELLE FAIT
BEAUCOUP
ÇA EN CE
MOMENT.
ARGH!

JE SAIS ! C'EST
DÉGOÛTANT ! IMMONDE !
RÉVOLTANT !

D'UN AUTRE CÔTÉ,
LA MOQUETTE N'A
JAMAIS ÉTÉ AUSSI
PROPRE.
KIRKMAN & SCOTT

KIRKMAN & SCOTT

LE DÎNER
REFROIDIT...
POURQUOI
AS-TU MIS
SI LONG-
TEMPS ?
DIRECTION
DÉFEC-
TUEUSE.

J'AVAIS L'HABITUDE DE RÊVER DES WEEK-ENDS... À PRÉSENT, JE VIS POUR LA SIESTE.
Z
KIRKMAN & SCOTT

BIIP! BOUP! BIIP! BIIP!

ALLÔ ?
JUSTINE ! NON ! MAMAN EST AU TÉLÉPHONE ! JOUE AVEC - ATTENTION ! FAIS ATTENTION... TU AS PRESQUE - S'IL TE PLAÎT - DOUCEMENT ! OUPS ! MAMAN EST DÉSOLÉE ! ELLE NE VOULAIT PAS...

OUIIINN!

POUVEZ-VOUS RÉPÉTER LA QUESTION ?
JE CROIS QUE C'ÉTAIT "ALLÔ ?"
KIRKMAN & SCOTT

QUELQU'UN A DIT QUE LE TEMPS EST L'EXPRESSION DE LA NATURE POUR ÉVITER QUE TOUT N'ARRIVE D'UN SEUL COUP.
KIRKMAN & SCOTT

BONK!
DING-DONG!
CLANK!
SPLAT
RINNG
DRIP-DRIP-DRIP
CRASH!
CLUNK
WAAA!

LES BÉBÉS SONT L'EXPRESSION DE LA NATURE POUR ÊTRE SÛR DU CONTRAIRE.

ÉVOLUTION DE LA PERCEPTION DU LANGAGE

GUIDE DE POCHE BABY BLUES®

2
CE QU'ILS ENTENDENT :
"Prends-moi pour un idiot... J'adore ça !"

4
CE QU'ILS ENTENDENT :
"Prends-moi pour un idiot... J'adore ça !"

5
CE QUE VOUS DITES :
WIPES
KIRKMAN & SCOTT
"Ne bouge pas !"
6
CE QU'ILS ENTENDENT :
WIPES
"Prends-moi pour un idiot... J'adore ça !"

DEMANDEZ LES AUTRES GUIDES DE POCHE BABY BLUES DONT "DIX MOYENS DE FAIRE SEMBLANT DE DORMIR AFIN QUE VOTRE ÉPOUSE SE LÈVE POUR LE BÉBÉ" ET "TU FAIS DES BROCOLIS, OU C'EST MON TOUR DE CHANGER LA COUCHE ?"

OOUUIIINNN!
QU'Y A-T-IL ?
À UN MOIS

OOUUIIINNN!
À TON TOUR.
KIRKMAN & SCOTT
À QUINZE MOIS

QUAND JUSTINE EST NÉE, J'ESPÉRAIS QU'ELLE AURAIT CERTAINS CÔTÉS DE SON PÈRE.

SON SOURIRE CHARMANT... SON RIRE SI DRÔLE... SA FAÇON DE LOUCHER QUAND IL PENSE...

TOUT ÇA AURAIT ÉTÉ ADORABLE !
KIRKMAN & SCOTT

MAIS PAS ÇA !
RONFFFZZZ!
RONFFFZZZ!

HÉ ! DES VACHES !

MEUH! MMEEUH! MEUUH!

MEUHH! M-HEU !

KIRKMAN & SCOTT
UNE HABITUDE DIFFICILE À PERDRE

BÉBÉ BLUES®
RICK KIRKMAN / JERRY SCOTT

PA-PA ?
NON. PAPA TRAVAILLE, JUSTINE.
PAPA TRAVAILLE DANS UN BUREAU, AVEC UN ORDINATEUR, ET IL PARLE TOUTE LA JOURNÉE AVEC DES ADULTES ET DÉJEUNE DANS DE BONS RESTAURANTS AVEC DES GENS INTÉRESSANTS.
MAMAN A DÛ INTERROMPRE SA CARRIÈRE POUR RESTER ASSISE LÀ À TE REGARDER GRANDIR !
MA-MAN
SMACK!
PAUVRE PAPA.
KIRKMAN & SCOTT

DANIEL ! DEVINE QUOI ! MARC ET YOLANDE VEULENT QUE NOUS GARDIONS AÏSHA PENDANT QU'ILS SORTENT DÎNER !
VRAI-MENT ?
CLICK

IMAGINE... ENCORE UN PETIT BÉBÉ À LA MAISON !
OUI – JE ME SOUVIENS QUAND JUSTINE ÉTAIT SI PETITE... SI FAIBLE... SI CÂLINE... SI –

DONK !

DÉSARMÉE.
KIRKMAN & SCOTT

MERCI DE NOUS GARDER AÏSHA CE SOIR. NOUS RENTRONS VERS DIX HEURES.
PAS DE PROBLÈME ! AMUSEZ-VOUS !

VOUS N'AVEZ RIEN À CRAINDRE !

EXCEPTÉ QUE VOUS DEVREZ CONVAINCRE WANDA DE VOUS LA RENDRE !
KIRKMAN & SCOTT

JE SAIS QUE NOUS NE GARDONS AÏSHA QUE QUELQUES HEURES, MAIS JE TROUVE MERVEILLEUX D'AVOIR À NOUVEAU UN PETIT BÉBÉ À LA MAISON.

VRAIMENT MERVEILLEUX.

VRAIMENT VRAIMENT MERVEILLEUX.
KIRKMAN & SCOTT

VRAIMENT VRAIMENT **VRAIMENT** MERVEILLEUX.
OH – OH...

OH, ALLONS, WANDA ! TU N'ES PAS SÉRIEUSE !
POUR-QUOI PAS ?
KIRKMAN & SCOTT

NOUS GARDONS AÏSHA DEPUIS TRENTE MINUTES, ET TU AS DÉCIDÉ D'AVOIR UN AUTRE BÉBÉ ??
QUEL EST LE PROBLÈME ?

ÇA NE SE DÉCIDE PAS À LA LÉGÈRE ! ÇA DEMANDE DU TEMPS ! DE LA RÉFLEXION ! DE LA PRÉPARATION !

DANS NOTRE CAS, UNE NUISETTE ET UNE BOUTEILLE DE CHIANTI ONT SUFFI.
MAIS MAIN-TENANT ON SAIT !

OK, JE CROIS QUE TU AS RAISON.

ON NE DEVRAIT PAS DÉCIDER D'AVOIR UN BÉBÉ JUSTE PARCE QU'ON AIME BIEN LES BÉBÉS.

C'EST UNE DÉCISION PLUS GRAVE QUE ÇA. À PRENDRE EN FONCTION D'ÉLÉMENTS FINANCIERS ET ÉMOTIONNELS. MERCI DE M'AVOIR REMIS LES IDÉES EN PLACE, DANIEL.
KIRKMAN & SCOTT

DANIEL ? DANIEL ?

NOUS VOILÀ !
SOIR !

COMMENT ÉTAIT-ELLE ?
BIEN !

ELLE A PLEURÉ ?
NON.
ELLE ÉTAIT AGITÉE ?
NON.
ELLE A GÉMI ?
NON. ELLE ÉTAIT PAR-FAITE !

MARC, VÉRIFIE L'ADRESSE. JE CROIS QU'ON N'EST PAS AU BON ENDROIT !
KIRKMAN & SCOTT

Fin

Achevé d'imprimer en novembre 1998
Impression et reliure : Pollina s.a., 85400 Luçon - N° 76172
Dépôt légal : novembre 1998